Si-sa-yong-o-sa, Inc.
55-1, Chongno 2-ga, Chongno-gu
Seoul 110, Korea

Si-sa-yong-o-sa, Inc., New York Office
115 West 29th Street, 5th Floor
New York, NY 10001
Tel : (212) 736-5092

Si-sa-yong-o-sa, Inc., Los Angeles Office
3053 West Olympic Blvd., Suite 208
Los Angeles, California 90006
Tel : (213) 387-7105/7106

ISBN 0-87296-000-5

Printed in Korea

Two Kins' Pumpkins

흥부 놀부

Adapted by John Holstein
Illustrated by Lee Woo-bum

//Si-sa-yong-o-sa, Inc.

Seoul • New York • Los Angeles

Way back, about three hundred years ago, there lived a boy named Hungbu. He had an older brother, and his name was Nolbu.

Brother? It was hard to believe these two boys were brothers. Hungbu was as kind and pleasant as Nolbu was mean and ornery. In fact, Nolbu was so bad, and Hungbu was so good, that Hungbu was the only one around who did not dislike Nolbu.

But it certainly was hard on Hungbu. One day, just for a little fun, Nolbu broke open all of farmer Kang's pumpkins. Farmer Kang knew that Nolbu did it. Who else would do such a nasty thing? So he came looking for Nolbu.

"Nolbu! You've gone too far this time! Come out here and get what's coming to you!"

2

약 300년 전 흥부라는 한 소년이 살았읍니다. 그에게는 놀부라는 형이 하나 있었읍니다.

형이라고요? 이 두 소년들이 형제사이라는 것은 믿기가 어려웠읍니다. 놀부는 인색하며 사나왔고, 흥부는 인정 많고 싹싹했읍니다. 사실은, 놀부는 너무나 못되었고, 흥부는 너무 착해서 주위에서 놀부를 싫어하지 않는 사람이라고는 흥부뿐이었읍니다.

그러나 흥부에게도 그것은 정말 힘든 일이었읍니다. 어느 날 놀부는 장난삼아 농부 강 노인네 호박을 모조리 깨뜨려 버렸읍니다. 강노인은 놀부가 한 짓임을 알고 있었읍니다. 그 밖에 누가 감히 그런 심술궂은 짓을 할 수 있었겠읍니까? 그래서 강 노인은 놀부를 찾아왔읍니다.

"놀부 이놈! 이번에는 이런 일까지 저지르다니! 이리 나와서 혼좀 나바라!"

Safe inside his house, Nolbu shouted, "What do you want with me, old man?" (What a way for a boy to talk to an older person!) "Hungbu's the one who needs the licking."

Hungbu heard all this, but all he could think of was to help his poor brother. So he went out to farmer Kang.

"I'm sorry. I'll never do it again—I promise."

Farmer Kang knew Hungbu, and he knew Nolbu. So he shouted to Nolbu, still hiding inside, "You try something like that again, Nolbu, and even your kid brother won't be able to save you!"

As Nolbu grew up, his heart grew hard. Before his father even thought of leaving this world, Nolbu was trying to figure out how much his father would leave behind. He could not be satisfied only with what his father would leave for him—he had to get his hands on what his father would leave for Hungbu, too. He wanted it all for himself.

4

집안에 꼭꼭 숨어서 놀부는 고함을 질렀읍니다. "이 늙은이야, 내게 무슨 볼일이 있
어?" (어린 아이가 어른에게 이 무슨 말버릇입니까!) "매 맞을 놈은 흥부라구."

흥부는 이 모든 말을 듣고 있었지만 불쌍한 형을 도와줘야겠다는 생각만 하고 있었
읍니다. 그래서 그는 강 노인에게로 나갔읍니다.

"잘못했어요. 다시는 그런 짓 안할께요. 정말이에요."

강씨 할아버지는 흥부도 잘 알고 있었고, 놀부도 잘 알고 있었읍니다. 그래서 여전
히 집안에 숨어 있는 놀부에게 외쳤읍니다. "네 이놈 놀부야. 다시 한번 그런 짓하면
네 동생조차도 너를 구해주진 못할 것이야!"

놀부는 자라면서 심보가 더욱 사나와졌읍니다. 놀부는 아버지가 돌아가시기도 전에
아버지의 유산이 얼마나 될까 하고 계산을 했읍니다. 놀부는 아버지가 자기에게 물려주
실 몫에 만족하지 못하고 흥부에게 돌아갈 몫까지도 차지해야겠다고 마음먹었읍니다.
그는 아버지의 유산을 몽땅 독차지하기를 바랐읍니다.

By the time his father finally did die, everything worked just as Nolbu had planned. He took everything, and Hungbu got nothing.

By this time, both Nolbu and Hungbu had wives. The day after their father died, Nolbu made his younger brother and wife and children go to live in the shabby buildings where the servants lived. No one in their village could understand why Hungbu and his fine wife never complained. How could they only show respect and goodness to Nolbu, and to his wife, who was just as heartless and greedy as her husband?

Then one day Nolbu's wife told him, "Hungbu and his family are costing us a thousand *nyang* a year. Little brother or not, how can anyone spend so much? We'll starve if they keep on like this."

Nolbu's father had left him very much land and money. A thousand *nyang* a year was nothing to Nolbu. It was nothing to Hungbu and his family, too, because it hardly helped them at all.

마침내 아버지는 돌아가시고 모든 일은 놀부가 계획했던 대로 이루어졌습니다. 그는 모든 것을 가졌고 흥부는 아무 것도 갖지 못했습니다.

이때쯤 놀부도 흥부도 결혼을 했습니다. 아버지가 돌아가신 바로 다음날 놀부는 동생 부부와 아이들을 머슴들이 사는 초라한 집으로 내쫓았습니다. 마을 사람들은 왜 흥부와 그의 아내가 불평 한 마디 하지 않는지 이해할 수가 없었습니다. 어쩌면 흥부 부부는 놀부와 놀부만큼이나 인정없고 욕심많은 그의 아내를 받들고 착하게만 대할수 있을까요 ?

어느 날 놀부의 아내가 남편에게 말했습니다. "흥부와 그 식구들에게 드는 돈이 1년에 1천 냥씩이나 꽤요. 동생이든 아니든 간에 어떻게 그렇게 많은 돈을 쓸 수 있는 거예요? 그들이 계속 이렇게 쓰다가는 우리는 굶어 죽을거예요."

놀부의 아버지는 놀부에게 많은 땅과 돈을 물려주었습니다. 1년에 천 냥쯤은 놀부에게는 하찮은 돈이었습니다. 천 냥은 많은 돈이 아니었으므로 흥부네 가족에게도 별로 도움이 되지 않았습니다.

But the greedy Nolbu became very angry. "A thousand *nyang!*
What are they doing, eating it?"

The next day, Hungbu and his family were on their way out of
Nolbu's house. Hungbu tried to say goodbye to his older brother.
But all Nolbu said was, "Not gone yet? I told you to be out by
dawn."

"But I just wanted..."

"That's the problem—you always want something. Now don't try
to take anything with you. We're just about starving already because
of you."

So Hungbu and his family had nothing. Nothing, nothing at all.
Just the clothes on their backs, and even those were not much more
than rags. It was the middle of winter. How could he take care of
his wife and children? Cold, hungry, no place to go... Hungbu
started off with a great, sickening fear in his heart.

　그러나 욕심 많은 놀부는 무척 화가 났읍니다. "천 냥씩이나! 천 냥을 다 어디다 쓴
다는거야, 돈을 먹어치우나?"

　다음날 흥부네 가족은 놀부의 집에서 쫓겨나게 되었읍니다. 흥부는 형에게 작별 인
사를 하려고 했읍니다. 그러나 놀부가 내뱉은 말은, "너 아직도 안 나갔어? 날이 새
기 전에 나가라고 했잖아."란 말뿐이었읍니다.

　"그렇지만 단지 전…"

　"그게 탈이야—넌 항상 뭔가를 바란단 말이야. 이제는 아무것도 더 가져 갈 생각은
말어. 너 때문에 우리가 굶을 지경이란 말이야."

　이래서 흥부네 가족은 아무 것도, 전혀 아무 것도 가진 것이 없게 되었읍니다. 가진
것이라곤 등에 걸친 옷가지들뿐인데 그나마도 누더기와 다를 바가 없었읍니다. 그때가
바로 한겨울이었읍니다. 어떻게 흥부는 그의 아내와 애들을 돌볼 수 있을까요? 춥고,
배고프고, 갈 곳도 없는데… 흥부는 마음속으로 큰 걱정을 하면서 떠났읍니다.

He led his family off to the next village, where he knew there was a small plot of land they could use. They arrived dead tired, stomachs howling from hunger, but Hungbu still had to put up some shelter to keep his family alive through the night. The hunger, the exhaustion, the cold—any one of these alone would be enough to finish him off. But all three together, each one stronger than the other, kept him going: he would get so cold he'd forget his hunger, then he'd get so hungry he would forget the cold, then he'd get so tired he'd forget his hunger. Finally, the miserable shack was finished.

Winter. Just to hear the word spoken can freeze your heart, if you know how cruel it really can be. The only heat in the shack that night was the heat of their bodies huddled together. Through that winter, the only food that kept them from starving was the handfuls of rice they could beg here and there from the people in the valley.

홍부는 가족을 데리고 건너 마을로 갔읍니다. 홍부는 그곳에 자기들이 쓸 수 있는 좁은 땅이 있다는 걸 알고 있었읍니다. 그들이 도착했을 때는 몹시 지쳐있었고, 굶주린 뱃속에서는 꼬르륵 소리가 났읍니다. 그러나 홍부는 가족들이 밤을 지낼 수 있는 움막이라도 만들어야만 했읍니다. 굶주림과 피곤함과 추위—이들 중 어느 한 가지만으로도 홍부는 충분히 쓰러질 것 같았읍니다. 그러나 이 세 가지 고통이 너무 심해서 홍부로 하여금 계속 일을 하도록 만들었읍니다. 즉 홍부는 너무 추워서 배고픔을 잊게 되었고, 그리고는 너무 배가 고프니까 추위를 잊게 되고, 또 너무 피곤해서 배고픔을 잊었읍니다. 마침내 초라한 움막이 다 지어졌읍니다.

겨울. 만일 여러분이 겨울이 얼마나 잔인한가를 알고 있다면 그 말만 들어도 여러분의 가슴은 꽁꽁 얼어붙을 것입니다. 그날 밤, 그 움막 안의 온기라고는 서로 부둥켜 안은 몸에서 나는 체온뿐이었읍니다. 그해 겨울 내내 그들을 굶어죽지 않게 한 유일한 식량이라곤 산동네 사람들에게서 구걸하여 얻은 쌀 몇 줌뿐이었읍니다.

Hungbu felt it was impossible to keep his family alive any longer, so he went back to Nolbu for just one sack of rice.

"A whole sack of rice!" Nolbu roared. "You've stolen enough from me!" and he beat Hungbu black and blue. Hungbu had to take it from his older brother—that's how it was in those days. Then Nolbu went back to his nap.

Hungbu wanted to go back home. But how could he, without anything to feed his wife and children? "No matter what happens to me..." he thought, and he went to Nolbu's wife.

She was in the kitchen pestering the maids, who were getting supper ready. Oh, those lovely smells of good food cooking! But oh, the cold glare Nolbu's wife gave him.

　더 이상 가족을 먹여 살릴 수 없다고 느낀 흥부는 쌀 한 자루를 얻으러 놀부를 찾아 갔읍니다.

　"쌀 한 자루라니!" 놀부는 버럭 고함을 질렀읍니다. "네 놈이 여태껏 내게서 빼앗 아 간 것이 얼만데!" 하며 놀부는 흥부를 퍼렇게 멍이 들도록 때렸읍니다. 흥부는 형 에게 맞고 있어야만 했읍니다 — 그때는 세상이 그랬으니까요. 그리고 나서 놀부는 다시 낮잠을 자기 시작했읍니다.

　흥부는 그만 집으로 돌아가고 싶었읍니다. 하지만 아내와 자식들에게 먹일 양식도 없 이 어찌 빈손으로 돌아갈 수 있었겠읍니까? "무슨 일이 있어도 꼭…" 이라고 생각하며 흥부는 놀부의 아내에게로 갔읍니다.

　놀부의 아내는 저녁을 차리고 있는 하녀들을 들볶고 있었읍니다. 아! 저 맛있는 음 식 만드는 냄새! 그렇지만 아! 흥부를 노려보는 놀부 아내의 차가운 눈초리!

"Please, sister, just a small sack of rice, and you'll never see me again."

Almost before he could get the words out of his mouth she whacked him on the right cheek with a big rice ladle.

"There's a ladle-full for you, anyway! Now get out, you bum!" she screamed.

The rice left on Hungbu's cheek was soon in his mouth. "Please, sister, would you mind doing the other cheek?"

With this she picked up a red-hot frying pan. "You filthy beggar! And is that the way you talk to your older brother's wife?" She started after him, scaring him so bad he did not stop running till he got home.

"제발 형수님, 쌀을 조금만 주세요. 그러면 다시는 찾아오지 않을께요."

말이 채 끝나기도 전에 놀부 아내는 큰 밥주걱으로 흥부의 오른쪽 뺨을 후려쳤습니다.

"자, 밥 한 주걱 주었으니 당장 꺼져버려! 이 게으름뱅이야!" 놀부 아내는 소리를 빽 질렀습니다.

흥부는 뺨에 붙은 밥풀을 곧바로 떼어먹었습니다. "형수님, 제발 왼쪽 뺨도 때려주세요."

이 말을 들은 놀부 아내는 시뻘겋게 달아오른 프라이팬을 집어 들고 소리쳤습니다. "이 더러운 거지야! 그래 그게 형수한테 하는 말버릇이야?" 놀부 아내가 너무 무섭게 덤벼들었기 때문에 흥부는 단숨에 집으로 달려가버렸습니다.

Somehow, anyway, Hungbu and his family lived through the winter. Spring came, their bodies warmed in the sun, their bellies filled with grass and roots and more begged grain. And Hungbu worked hard to get his family through the next winter.

But the next winter came too soon. It always comes too soon, and stays too long, for poor people. The cold and hunger of that winter made every day the most miserable day in all their lives.

Finally, spring came.

That spring a swallow made its nest on the roof of Hungbu's shack. One day, when the swallow was off looking for food for its babies, a big snake came and began eating them. In that terrible moment, one baby fell out of the nest onto the ground, and broke its leg.

Hungbu saw it happen. "Hunt your little birds all you want—but not around my house!" he yelled as he chased the snake away.

Then he found the little swallow, flopping around, squawking pitifully for its mother. Hungbu set the bird's leg and took care of it. The swallow stayed with Hungbu's family until that time when all birds return to the Bird Kingdom.

At the same time the little swallow was wintering in the south, Hungbu and his family were suffering through another cold and hungry winter up north. Hungbu was so worried about his family that he took up a dangerous offer from a rich man.

These days we think it a very strange kind of thing, but in those times it was not. The rich man was supposed to be punished with thirty lashes of a heavy whip.

He had not done anything wrong, but an enemy of his told the police that he had. Thirty lashes can kill a man. So the rich man offered thirty *nyang* to anyone who would take his punishment for him. It was only enough to help Hungbu's family for a couple of weeks, but what else could he do? If he had to choose between his life and his wife and children, there was only one choice.

On the way to his whipping, Hungbu thought about how he had left home without a last kiss. He felt bad that he could not tell them where he was going, and show them how he loved them. And he was afraid, very afraid. Then he cursed how there was no one in this wide world with such crazy and bad luck as his. "Have to get whipped, for something I didn't do—for something no one did!—just to feed my family!"

그럭저럭 흥부네 가족은 겨우겨우 겨울을 넘겼읍니다. 봄이 왔읍니다. 그들의 몸은 햇볕으로 따뜻해졌고, 풀과 나무뿌리, 구걸해온 양식으로 배를 채울 수 있었읍니다. 그리고 흥부는 다음해 겨울을 나기 위해 열심히 일했읍니다.

그러나 그 다음 겨울은 너무 빨리 찾아왔읍니다. 겨울은 가난한 사람들에게는 언제나 너무 일찍 찾아오고 너무 길기만 합니다. 그해 겨울은 추위와 배고픔으로 인해 그들의 일생에서 가장 비참한 나날이었읍니다.

마침내 봄이 왔읍니다.

그해 봄에 제비 한 마리가 흥부네 오두막 지붕에 둥지를 틀었읍니다. 어느 날 제비가 새끼들에게 줄 먹이를 찾으러 나가고 없을 때, 구렁이가 나타나서 새끼 제비들을 잡아 먹기 시작했읍니다. 이 소름끼치는 순간에 제비 새끼 한 마리가 둥지에서 땅바닥으로 떨어져 다리가 부러졌읍니다.

흥부가 우연히 그걸 보았읍니다. "네놈이 원하는 새 새끼들을 모두 잡아먹어도 우리 집에선 어림도 없어." 흥부가 구렁이를 내쫓으며 소리쳤읍니다.

흥부는 날개를 퍼덕거리며 어미를 찾아 애처롭게 짹짹거리는 제비 새끼를 찾아냈읍니다. 흥부는 제비의 다리를 묶어주고 보살펴 주었읍니다. 다른 제비들이 새의 왕국인 강남으로 돌아갈 때까지 그 제비는 흥부네 식구들과 함께 살았읍니다.

그 제비 새끼가 남쪽 나라에서 겨울을 나고 있는 동안 흥부네 가족들은 북쪽 지방에서 또다시 춥고 배고픈 겨울을 지내느라 고생을 하고 있었읍니다. 흥부는 그의 가족들이 너무 걱정돼서 어떤 부자의 위험스런 부탁까지도 받아들였읍니다.

요즈음은 그것이 매우 이상한 일로 생각되지만 그때는 그렇지 않았읍니다. 그 부자는 곤장 30대를 맞아야 하는 벌을 받게 되어 있었읍니다.

그가 잘못을 저지르지 않았는데도 그를 미워하는 사람이 관청에 고해바친 것입니다. 곤장 30대면 사람이 죽을 수도 있읍니다. 그래서 그 부자는 자기를 대신해서 벌을 받는 사람에게 돈 30냥을 내놓은 것입니다. 그 돈은 흥부네 식구들을 겨우 2주일쯤 먹여살릴 수 있을 정도의 돈이었지만 그가 그 밖에 무슨 일을 할 수 있었겠읍니까? 만약 흥부가 자신의 목숨과 처자식 사이에 선택을 해야 한다면 단 한 가지 선택이 있을 뿐이었읍니다.

곤장을 맞으러 가면서 흥부는 자기가 어떻게 마지막 인사도 없이 집을 떠나 왔던 것에 대해 생각했읍니다. 흥부는 가족들에게 자기가 어디로 가며, 얼마나 그들을 사랑하는지 말할 수 없었던 것이 안타까왔읍니다. 그리고 그는 두려웠읍니다. 아주 두려웠읍니다. 그리고는 이 넓은 세상에 아마도 자기처럼 지독하게 불행한 사람은 없을 것이라고 자신을 저주했읍니다. "고작 식구들을 먹여살리기 위해 내가 하지도 않은 일로— 사실은 아무도 하지 않은 일로—매를 맞아야 하다니!"

Right then he could not guess that there is even worse luck. But he would find out soon...

Just when he got to the whipping place, a messenger came with word from the king. "On this day all prisoners will be freed, and no punishment will be given to anyone, by the kind order of His Majesty!"

Hungbu was stunned. "The *kind* order!" he screamed inside. "The *cruelest* order! With this order my family will starve...if they don't freeze to death first." He went back home, now even more fearful for his family than he had been for his own life.

When he got back he had to tell the rich man that he had not been whipped. But the rich man not only had a lot of money, he also had a big heart.

"Hungbu, you're as good and honest as everyone says you are! There aren't many who would do what you were going to do for your family. It warms my old heart to see a man like you—here, take this," and he gave Hungbu some money. It was almost all the money that the whipping would have brought him.

바로 그때까지도 그는 앞으로 더 가혹한 운명이 그를 기다리고 있으리라곤 꿈에도 생각지 않았읍니다. 그러나 곧 그는 모든 것을 알게 되겠죠…

흥부가 막 곤장을 맞을 곳에 도착하자 어명을 받든 사신이 왔읍니다. "오늘, 자비로 우신 상감마마의 어명에 따라 모든 죄수들은 석방하고 아무도 처벌하지 않을 것이오!"

흥부는 깜짝 놀랐읍니다. "자비로우신 어명이라고!" 그는 마음 속으로 비명을 질렀 읍니다. "이렇게 가혹한 어명이 있을 수 있단 말인가! 이 어명 때문에 우리 식구들은 얼어죽지 않는다면 굶어죽을 텐데…" 흥부는 집으로 돌아오면서 자신의 목숨보다도 식구들 걱정을 더 했읍니다.

흥부는 돌아와서 그 부자에게 자기는 매를 맞지 않았다고 말하지 않을 수 없었읍니다. 그러나 그 부자는 돈도 많았지만 마음씨도 좋았읍니다.

"흥부, 자네는 모든 사람들이 말하는 대로 착하고 정직하구먼! 가족들을 위해 자네처럼 하려는 사람이 많지 않은 세상이라네. 자네 같은 사람을 보니 이 늙은이 마음이 다 훈훈해지네. 자, 이걸 받게." 그는 흥부에게 얼마만큼의 돈을 주었읍니다. 그 돈은 곤장을 맞고 받을 수 있었을 만한 금액이었읍니다.

Every year, just when we begin to think that winter will never leave, spring returns. It always returns.

And with it this year came that swallow, the same swallow that Hungbu had saved from the snake and made well! It sang loud and happy as it circled their house again and again, and Hungbu and his family all ran to welcome the bird back home.

"Our friend's back!"

"He remembered us! Stay with us this year, too!"

Then the swallow dropped some seeds. But it circled just once more in farewell, and was gone. The family kept staring into the sky, sadly, long after the swallow had disappeared.

"Pumpkin seeds?" Hungbu mumbled to himself. When he read the words "Your Reward—Plant Me" on each seed, he might have guessed that the Bird King had told the swallow to give them to

20

해마다 겨울이 결코 끝날 것 같지 않다고 생각할 때쯤이면 봄이 돌아옵니다. 봄은 항상 돌아오니까요.

그리고 봄과 함께 올해에는 흥부가 뱀으로부터 목숨을 구해서 잘 보살펴 주었던 바로 그 제비도 돌아왔습니다. 제비는 흥부네 집을 맴돌면서 큰 소리로 흥겹게 지저귀었읍니다. 흥부와 흥부네 식구들은 모두 달려나가 제비가 돌아온 것을 반겼읍니다.

"야, 우리 친구가 돌아왔구나!"

"제비가 우리를 잊지 않았구나! 올해도 우리와 함께 살자!"

그때 제비가 씨앗 몇개를 떨어뜨렸읍니다. 그리고는 작별 인사로 꼭 한번 더 맴돌더니 사라져 버렸읍니다. 식구들은 제비가 사라진 뒤에도 한참동안 서운해하면서 하늘을 쳐다보고 있었읍니다.

"박씨가 아닌가?" 흥부는 혼자 중얼거렸읍니다. 씨앗마다 "당신의 은혜에 보답합니다—이 박씨를 심으세요."라고 쓰여진 글을 읽고서 흥부는 제비왕이 제비에게 고마움의 표시로 자기에게 씨앗을 주라고 분부했을 거라고 생각했읍니다. 그러나 흥부는 남을 도

Hungbu in thanks. But Hungbu was not one to look for reward for giving help, because to Hungbu helping others was as natural as getting up in the morning. He just planted the seeds and forgot about them.

Fall came, along with thoughts of another hard winter. But at least they had the pumpkins which their friend had brought them. There were enough to get them through most of the winter. It was strange, though—these pumpkins were huge, ten times bigger than any pumpkins the family had ever seen.

But their size was nothing compared to what was inside, because, when they opened the first one, what do you think...out jumped a pair of young twins!

"Hungbu, master, we've brought you a little something for your kindness to Swallow. Here in this silver jar is a medicine which can make the blind see again. In this jade jar is something which will give hearing back to those who have lost it. Here's another one— you can make cripples walk again. And look at this one..."

와주면서 댓가를 바라는 사람이 아니었읍니다. 남을 도와주는 것이 홍부에게는 아침에 일어나는 일처럼 당연한 일이었으니까요. 홍부는 곧 박씨를 심었읍니다. 그리고는 잊어버리고 있었읍니다.

또다시 모진 겨울을 생각나게 하는 가을이 다가왔읍니다. 하지만 그들에게는 제비 친구가 가져다 준 박이라도 있었읍니다. 박은 겨울을 지낼 수 있을 만큼 충분했읍니다. 그런데 이상하게도 이 박들은 아주 컸으며, 지금까지 보았던 박보다 열 배나 컸읍니다.

그러나 그 크기는 박 안에 들어있었던 것에 비하면 아무 것도 아니었읍니다. 그것이 도대체 무엇이었을까요? 첫번째 박을 탔더니 한 쌍의 꼬마 쌍동이가 튀어나왔읍니다!

"홍부님, 저희는 당신이 제비에게 베푼 친절에 보답하고자 조그만 것을 가져왔읍니다. 여기 이 은단지에는 눈먼 사람도 다시 볼 수 있도록 해주는 약이 있읍니다. 이 옥단지에는 귀머거리를 낫게 해주는 약이 있고요. 그리고 이 단지에는—절름발이도 다시 걷게 할 수 있어요. 그리고 이 단지를 보세요…"

They gave Hungbu something to cure every sickness man has ever suffered.

But there were more pumpkins. Each one they opened dazzled Hungbu and his wife and kids with its own wonderful surprise. Beautiful things for the house. Soft, colorful silk clothes, gold and gems and jewelry. And then even the carpenters, who started right in building a big new—and warm!—house for all these treasures.

There was one last pumpkin to open. But Hungbu and his wife stopped and thought. Wouldn't all these nice things only make them greedy and lazy? "Having enough to live comfortably is good. But so much more than enough, I don't know..."

Why not, though, if they were given in this special way? And they could also return the kindness of those who had helped them get through those awful winters.

So they opened the last one.

Out of that one came the loveliest young maiden you could imagine, and sent just for Hungbu's enjoyment. That is what the maiden told him, right in front of his wife!

24

그들은 흥부에게 이 세상의 어떤 병이라도 고칠 수 있는 약을 주었읍니다.

박은 아직도 많이 남았읍니다. 박을 탈 때마다 흥부와 아내, 그리고 아이들은 모두 깜짝 놀라서 어리둥절해졌읍니다. 아름다운 가구들, 부드럽고 화려한 비단옷, 금과 옥과 보석들이 쏟아져 나왔읍니다. 그리고 또 목수들이 나와서 이 모든 보물들을 들여놓을 크고 산뜻하면서도 따뜻한 새집을 짓기 시작했읍니다.

마지막으로 타지 않은 박이 하나 남았읍니다. 그러나 흥부와 그의 아내는 멈칫하면서 생각했읍니다. 이 훌륭한 모든 것이 그들을 게으른 욕심장이로 만들지는 않을까? "편안하게 살 만큼 넉넉한 것은 좋지만, 필요 이상으로 너무 많은걸… 에라, 나도 모르겠다."

이렇게 뜻밖에 이상한 방법으로 재물이 생겼으니 어찌 그렇게 되지 않겠어요? 더구나 그들이 그토록 지독한 겨울들을 지낼 수 있게 도와준 사람들의 친절에 보답할 수도 있게 되었으니까요.

그래서 그들은 마지막 박을 탔읍니다.

이 마지막 박에서는 꿈에서나 볼 수 있을 만큼 어여쁜 처녀가 나타났는데 흥부를 즐겁게 해주기 위해 보내진 처녀였읍니다. 그 처녀가 흥부의 아내 앞에서 그렇게 말했으니까요.

Hungbu's poor wife could see her happy life vanishing, and she became very sad. Why, oh why did they have to open that last pumpkin! Hungbu was so fascinated by the lovely young maiden that he did not see his wife's sorrow.

But, fascinated or not, Hungbu loved his wonderful wife deeply. So he sent the young girl on her way, with thanks.

*   *   *

"What? Hungbu WHAT?"

Nolbu raged, his face went purple. He wanted to strangle this man who was telling him now that his little brother had become the richest in the land. He would have strangled him, but the man was almost as big as himself.

In all this time Nolbu had only become meaner than ever. The nasty-hearted man thought that others had to suffer for him to be happy, and for others to be happy, he would have to suffer. He did not know the joy of sharing happiness and pain, because his heart was small and hard, like a nut.

That very moment he ran in a fury to Hungbu's house. The more he saw of the beautiful house and all the riches inside it, the more envious he became.

He jumped and stomped, huffed and puffed, "Forgetting all you owe to your big brother, huh? You forget all the years I took care of you, till you were able to stand on your own two feet? Well, maybe this will remind you," and he ran around the house picking out all the best things, as much as he could carry. He was in such a greedy hurry to take it off with him that he did not even think to call someone to help him carry more away. Or maybe he just could not trust anyone.

"Oh! How could the ungrateful beggars do this to us!" his wife half screamed, half bawled when Nolbu got home and told her. "Well, theirs isn't the only swallow in this country," and she dragged her husband out to the forests and fields to catch their own swallow. But this was already late in the fall—if they were not so blinded by their greed they would have known that the swallows were already long gone, back to the Bird Kingdom for the winter.

불쌍한 흥부의 아내는 행복한 시절이 사라지는 것 같아 큰 슬픔에 잠겼읍니다. 아, 왜 그들은 마지막 박을 탔을까요! 흥부는 어여쁜 처녀에게 넋을 빼앗겨 아내의 슬픔도 알아차릴 수 없었읍니다.

그러나 넋을 빼앗겼든 아니든 간에 흥부는 그의 훌륭한 아내를 깊이 사랑했읍니다. 그래서 흥부는 그 처녀에게 고맙다는 인사를 하고 자기 갈 길을 가도록 했읍니다.

*   *   *

"뭐라고? 흥부가 어쨌다고?"

놀부는 화가 나서 얼굴이 빨개졌읍니다. 동생이 세상에서 제일 큰 부자가 되었다는 말을 전해준 사람을 당장 목이라도 조르고 싶은 심정이었읍니다. 정말로 그 사람의 목을 조르고 싶었지만 그 사람은 거의 놀부만큼이나 몸집이 큰 사람이었읍니다.

그동안 놀부는 마음씨만 더욱 사나와져 있었읍니다. 심술장이 놀부는 자기가 행복하려면 다른 사람이 괴로와야 하고, 다른 사람이 행복하면 자기가 괴로와질 것이라고 생각했읍니다. 놀부의 마음은 호도처럼 옹졸하고 인색해서 행복과 괴로움을 함께 나눠 가지는 즐거움을 몰랐읍니다.

이 소문을 듣자마자 놀부는 몹시 화가 나서 흥부네 집으로 달려갔읍니다. 아름다운 집과 집안의 멋진 가구들을 보면 볼수록 놀부는 더욱 더 약이 올랐읍니다.

펄쩍 뛰고, 쿵쿵거리고, 화가 나서 씩씩거리더니, "이 형의 은혜를 잊었느냐? 응? 네가 혼자 힘으로 살 수 있도록 도와준 걸 잊었느냐? 이것으로 잘 생각나게 해주마." 하면서 집안을 돌아다니며 가져갈 수도 없을 만큼 좋은 물건들을 모두 끌어 모았읍니다. 놀부는 너무 성급하게 욕심을 부리느라고 다른 사람을 불러서 더 가지고 갈 생각도 못했읍니다. 아니면 그는 아무도 믿을 수 없어서였을 것입니다.

"아니! 그 배은망덕한 거지들이 우리한테 이럴 수가 있어요!" 놀부가 집에 와서 그의 아내에게 이야기하자 그녀는 반쯤 울부짖으며 소리쳤읍니다. "좋아요, 이 나라 안에 제비가 한 마리뿐만은 아니니까요." 하면서 제비를 잡으려고 놀부를 들로 숲으로 끌고 다녔읍니다. 그러나 그때는 이미 늦은 가을이었읍니다. 욕심에 눈이 어둡지만 않았더라면 제비들이 겨울을 나려고 이미 오래 전에 강남으로 갔다는 사실을 알았을 것입니다.

The next spring, though, Nolbu finally did get his swallow. But the way he went about it! He found a swallow's nest and, wiggling his fat body to look like a snake, hissed and hissed till he was blue in the face. Of course, he was planning to get one of the chicks so scared it would fall out of the nest and break its leg, and then Nolbu would fix it, and then... But it did not work. The chicks did not see a fierce snake, they only saw a silly fat man behaving as if he had poison ivy and fleas at the same time.

So Nolbu, panting and sweating and cursing, somehow got his heavy body up into the tree. He grabbed one of the chicks and dropped it down onto the ground. Even then, no broken leg. So what else could he do but break it himself!

Then he set the poor thing's leg and took care of it, till it was finally well enough to fly back to the Bird Kingdom in the fall.

That winter was a long one for Nolbu and his wife. They could hardly wait for spring to come, and with it the swallow and their reward.

Spring finally came. And, sure enough, the swallow returned. It was *not* happy, like Hungbu's swallow, but how could Nolbu know this? And Nolbu could not hear the swallow chuckle, "There you go, fatso!" as he dropped the pumpkin seeds and flew off into the clouds.

비록 이듬해 봄이었지만, 놀부는 드디어 제비를 잡았읍니다. 어떻게 제비를 잡았는지 보십시오! 제비둥지를 찾아내어, 구렁이같이 보이려고 뚱뚱한 몸을 비비 꼬고는 얼굴색이 파래지도록 쉿쉿 소리를 내었읍니다. 물론 놀부는 제비 새끼가 놀라서 둥지에서 떨어져 다리가 부러지기를 바랐읍니다. 그리고 그런 다음에 다리를 고쳐주고, 그리고 나서… 하지만 그것은 생각처럼 잘 되지가 않았읍니다. 제비 새끼들에게는 무서운 구렁이 대신, 옻이 오른 데다 벼룩이 기어다녀서 끙끙대는 것 같은 모습을 한 어리석고 뚱뚱한 사람만 보였읍니다.

놀부가 숨을 헐떡거리며 땀을 뻘뻘 흘리고 욕을 하면서 뚱뚱한 몸으로 나무 위로 기어올라갔읍니다. 제비 한 마리를 잡아서는 일부러 땅에 내동댕이쳤읍니다. 그런데도 다리가 부러지지 않았읍니다. 그래서 억지로 다리를 부러뜨리고 말았읍니다.

그런 다음에 그 불쌍한 새끼의 다리를 고쳐주고 가을이 되어 강남으로 돌아갈 때까지 그 제비를 돌보아 주었읍니다.

그해 겨울이 놀부 부부에게는 지루하게 느껴졌읍니다. 봄이 되어 제비가 은혜를 갚으러 오기를 눈이 빠지게 기다렸읍니다.

마침내 봄이 왔읍니다. 그리고 제비도 어김없이 돌아왔읍니다. 그 제비는 흥부네 제비처럼 기쁜 얼굴이 아니었읍니다. 그러나 놀부가 어찌 그런 것을 알겠읍니까? 제비가 박씨를 떨어뜨리고 구름속으로 날아가 버리면서 "자 여기 있소. 뚱뚱보 양반아!" 하며 비웃는 소리도 듣지 못했읍니다.

"Your Reward—Plant Me!" was written on each seed. All that summer Nolbu and his wife could not do anything but talk about the great fortune they would see in the fall.

Fall. Time to reap one's reward. Nolbu and his wife opened the first pumpkin, and out came a large number of grand old people from long ago, chanting words of wisdom and justice from times past. These were terrible words to Nolbu, because they reminded him of all the people he had cheated over many years.

The grandest of these old people came up to Nolbu, scowling. He said, "You, Nolbu! Till now you have lived so well because of all you've taken from our grandchildren! Now you're going to pay for it!" And they tied him to a tree and beat him till he was black and blue all over.

Nolbu was finally getting his reward.

As soon as these people left, Nolbu looked at the next pumpkin. After such a beating, he should have guessed that this whole thing with the pumpkins would end up as badly as it began. He should have made the first pumpkin the last.

　"당신 은혜에 대한 보답—이 박씨를 심으세요!"라고 박씨마다 쓰여 있었읍니다. 그 해 여름 내내 놀부 부부는 가을이 되면 생기게 될 엄청난 재산 이야기만 하느라고 아무 일도 하지 않았읍니다.

　가을이 되었읍니다. 보답이 결실을 맺는 때입니다. 첫번째 박을 타보았더니 거기서는 수많은 노인들이 쏟아져 나와서 옛날부터 전해오는 올바르고 지혜로운 말들을 했읍니다. 놀부는 이런 말들이 몹시 괴로왔읍니다. 자기가 오랫동안 못살게 괴롭혔던 사람들이 생각났기 때문입니다.

　노인들 중에서 가장 큰 사람이 얼굴을 잔뜩 찡그리며 놀부에게 다가왔읍니다. 그는 "네 이놈 놀부야! 우리 손자한테서 빼앗아다가 지금까지 잘 먹고 살아 왔지! 자, 이제 혼좀 나보아라!"하고 말했읍니다. 그리고는 놀부를 나무에 묶고 온몸에 멍이 들도록 때렸읍니다.

　마침내 놀부는 벌을 받게 된 것입니다.

　노인들이 떠나자마자 놀부는 다음 박을 쳐다보았읍니다. 그렇게 혼이 나게 매를 맞았으면 다른 박도 첫번째 박과 마찬가지일 것이라는 것쯤은 알았어야 했읍니다. 첫번째 박으로 끝냈어야만 했읍니다.

But the greed in him did not give up that easily. "Go on!" it pestered him.

He opened the next pumpkin—and he lost all his money. He opened the next, and he lost his house. Then the next, and the next, and out of every pumpkin came something worse than the one before it, so that Nolbu finally lost everything he had to the pumpkins. He had nothing now. Nothing. He was just as poor as Hungbu was when he had sent Hungbu and his wife and children off with nothing, into that cold, hard winter.

And so now Nolbu and Hungbu were wearing each other's shoes. But Hungbu still had his big heart. When he heard what happened to his brother, he told his wife, "I've got to go to Nolbu—he's lost everything!"

"No! Whatever happened?... Anyway, bring them here. I'll get everything ready," the good woman said, without a second thought.

And with that, Hungbu was off to Nolbu's. His wife started a bath, a meal, and whatever else, to make Nolbu and his wife comfortable.

　　그러나 그의 욕심은 그것을 쉽게 포기하지 않았읍니다. "계속해"라고 그를 들볶았읍
니다.

　　두번째 박을 탔더니 놀부는 돈을 몽땅 빼앗겨 버렸읍니다. 그 다음 박을 타자 집을
빼앗겼읍니다. 그리고 그 다음 박을 차례로 타보았더니 전보다 더 나쁜 일만 일어났읍
니다. 놀부는 마침내 그가 가진 모든 것을 박들에게 빼앗겼읍니다. 이제 아무 것도 남
은 것이 없읍니다. 놀부는 이제 춥고 모진 겨울날 아무 것도 없이 흥부 부부와 자식들
을 모두 자기 집에서 쫓아냈을 때의 흥부 신세가 되었읍니다.

　　그리고 이제 놀부와 흥부는 서로 처지가 바뀌었읍니다. 그러나 흥부는 여전히 관대
한 마음씨를 가졌읍니다. 흥부는 놀부의 이야기를 듣자 아내에게 말했읍니다. "나 형님
께 가봐야겠소. 형님이 이제 빈털터리가 되었다는구려!"

　　"아니! 세상에 그럴 수가?… 어쨌든 준비를 해놓을 테니 그 분들을 우리집으로 모
시고 오세요." 마음씨 착한 부인이 조금도 망설이지 않고 말했읍니다.

　　그 말을 듣고 흥부는 놀부네 집으로 갔읍니다. 흥부 아내는 놀부와 그의 아내를 편
안하게 모시기 위해 목욕물과 식사와 그 밖의 모든 것을 준비했읍니다.

When Hungbu got to what used to be Nolbu's, his older brother was sitting propped up against a tree, in a daze. "Oh no! Nolbu!" He shook the black and blue blob of sweaty stink. Nolbu's eyes blinked, looked at Hungbu, half recognized his younger brother. Hungbu was overjoyed—his older brother would be alright! "And he'll become a better man, loving, more humble, because of all this trouble, because somebody is helping him when he needs it so much!"

A spark came to Nolbu's eye. His swollen lips went into a pout. "Well, what on earth took you so long!" he grumbled.

Hungbu's eyes popped, his jaw dropped. His hopes died.

He wondered...

And then he opened his mouth wide and laughed. And he laughed, and he hugged his big brother, and he laughed, and laughed, and laughed...

34

흥부가 놀부네 집이 있었던 곳에 도착했을 때, 놀부는 얼이 빠져 나무에 기대앉아 있었습니다. "아이구, 형님!" 흥부는 고약한 냄새가 나고 멍이 잔뜩 든 놀부를 흔들었습니다. 놀부는 눈을 간신히 뜨고 흥부를 알아보았습니다. 흥부는 놀부가 살아있는 것이 몹시 기뻤습니다. "이렇게 불행해져서 도움이 필요할 때 다른 사람의 도움을 받으면 형님도 남을 사랑할 줄 알고, 겸손한 마음을 가진 착한 사람이 되실 거야!"

놀부의 두 눈에 생기가 돌았습니다. 퉁퉁 부어오른 입은 뿌루퉁해졌습니다. "도대체 왜 이렇게 늦게 왔느냐!" 그는 불평을 해댔습니다.

흥부는 너무 실망해서 기운이 쑥 빠지는 것 같았습니다. 흥부의 희망은 사라져 버렸습니다.

흥부는 이상한 생각이 들었습니다…

그리고 나서 흥부는 입을 크게 벌리고 웃었습니다. 웃으면서 놀부를 끌어안았습니다. 그는 웃고, 웃고 또 웃었습니다.

A Word to Parents:

In Yi Dynasty Korea (fifteenth through nineteenth centuries), poor Hungbu was stuck with an awful problem. Hungbu's family was noble class, and nobles were considered as being above concerning themselves over mundane affairs. Survival is mundane. There are stories about impoverished nobles who remained impoverished (along with their whole family) simply because it was beneath a noble to do anything related to improving his material circumstances.

In the original adult version of this story, Hungbu vacilated in the face of this mentality, and actually was the main cause of his family's suffering. In the current popular version, he overcame this mentality and "demeaned" himself for his family. This attitude began slowly to disappear around the end of the nineteenth century, with the development of commerce and industry and the demise of the monarchy.

Hungbu had another problem in this Cain and Abel relationship. In his Confucian society, the theory which underlied all of society was that the inferior (in social position, age, sex) naturally gives unquestioning obedience to the superior, and that the superior protects the inferior. Being a human society, the theory worked in favor of the inferior much less often than it did for the superior, Hungbu could never have any legal claim against being deprived by Nolbu of his inheritance.

His treatment of Nolbu at the end of the story is simply a natural thing for him to do for his elder brother. There are many in modern Korea who regard Hungbu as a spineless fool for taking so much from Nolbu, though at the end of the story they would still applaud his forgiveness and care of Nolbu as family.

Personal relationships in modern Korea are still based on age (though the elder is less autocratic than in the old times). One who is more than a year older than the other, for example, is addressed by the younger as *hyong* (elder brother) more often than he is addressed by his name. The *hyong* and *dongsaeng* (younger brother or sister) perform their respective roles admirably, for the most part. It is when the relationship is not personal and is based on social position, such as in an employer-employee relationship, that exploitation by the superior can happen.

By John Holstein

John Holstein

John Holstein was born in 1944 in Chicago. He went to Korea in the U.S. Army and remained there after discharge to study Korean literature in graduate school. In 1978 he returned to his country to earn a graduate degree in linguistics, and is now teaching English at Sungkyunkwan University in Seoul. He has been translating Korean literary works since he began studying the country's literature, and has received awards three times.

Korean Folk Tales Series

1. **Two Kins' Pumpkins** (흥부 놀부)
2. **A Father's Pride and Joy** (심청전)
3. **Kongjui and Patjui** (콩쥐 팥쥐)
4. **Harelip** (토끼전)
5. **The Magpie Bridge** (견우 직녀)
6. **All for the Family Name** (장화 홍련)
7. **The People's Fight** (홍길동전)
8. **The Woodcutter and the Fairy** (선녀와 나무꾼)
9. **The Tiger and the Persimmon** (호랑이와 곶감)
10. **The Sun and the Moon** (햇님 달님)
11. **The Goblins and the Golden Clubs** (도깨비 방망이)
12. **The Man Who Became an Ox** (소가 된 젊은이)
13. **Tree Boy** (나무도령)
14. **The Spring of Youth / Three-Year Hill** (젊어지는 샘물/3년 고개)
15. **The Grateful Tiger / The Frog Who Wouldn't Listen** (은혜 갚은 호랑이/청개구리의 울음)
16. **The Golden Axe / Two Grateful Magpies** (금도끼 은도끼/은혜 갚은 까치)
17. **The Story of Kim Son-dal** (봉이 김선달)
18. **Osong and Hanum** (오성과 한음)
19. **Admiral Yi Sun-shin** (이순신 장군)
20. **King Sejong** (세종대왕)